مانا و شهر ستاره ها

نازنین میرصادقی

تصویرگر: رویا صادقی

Bahar Books

www.baharbooks.com

Mirsadeghi, Nazanin
Mana and the City of Stars (Beginning Readers Series) Level 2 - Persian/Farsi Edition / Nazanin Mirsadeghi

ISBN-10: 1939099161

ISBN-13: 978-1-939099-16-7

Published by Bahar Books, White Plains, New York

مانا و شهر ستاره ها

کتابی که پیش روی شماست، یکی از کتاب های"مجموعهٔ نوآموز" است.

این مجموعه، در برگیرنده شعرها و داستان هایی ساده برای کودکانی ست که فارسی را به عنوان زبان دوم می آموزند. کتاب های "مجموعه نوآموز" از لحاظ میزان دشواری به دو رده تقسیم شده اند تا کار انتخاب را برای پدرها و مادرها، و همچنین آموزگاران زبان فارسی ساده تر کنند.

کتاب های رده اول، مناسب کودکانی ست که خواندن و نوشتن زبان فارسی را به تازگی آغاز کرده اند. این گروه از کودکان در بیشتر موارد بدون کمک بزرگ ترها قادر به خواندن کتاب های این رده خواهند بود.

کتاب های رده دوّم در "مجموعه نوآموز" مناسب کودکانی ست که تمامی حروف الفبای فارسی را آموخته اند و از نظر آشنایی با زبان فارسی در مرحله پیشرفته تری قرار دارند. در نگارش کتاب های این رده سعی بر آن بوده است که واژه های فارسی به کار گرفته شده، تا حد امکان ساده باشند. واژه های ناآشنا در متن با رنگ قرمز مشخص شده اند و معادل انگلیسی آنها در پایان کتاب، زیر عنوان "واژه نامه" و با ذکر شماره صفحه ها آمده اند تا کودکان درک بهتری از مفاهیم این واژه ها داشته باشند.

شَب اَست.

آسِمان پُر اَز سِتاره اَست.

ماه دَر آسِمان، میانِ سِتاره ها می دِرَخشَد.

مانا کِنارِ پَنجِره می نِشینَد وَ به آسِمان چَشم می دوزَد.

- اِی کاش می تَوانِستَم به آسِمان پَرواز کُنَم.
اِی کاش می تَوانِستَم به شَهرِ جادوییِ سِتاره ها سَفَر کُنَم.

مانا خِش خِشی می شِنَوَد.

سِتاره ای زیبا اَز پُشتِ شیشه به مانا لَبخَند می زَنَد.

مانا پَنجِره را باز می کُنَد.

- اِی سِتاره ی زیبا، اینجا چه می کُنی؟

- آمَده ام تا تو را با خودَم به آسِمان بِبَرَم.

- مَن بال نَدارَم. نِمی تَوانَم پَرواز کُنَم.

- به بال نیاز نَداری.

دَستَت را به مَن بِده،

چَشم هایَت را بِبَند وَ آرِزویِ پَرواز کُن.

مانا دَستَش را به سویِ سِتاره دِراز می کُنَد.

مانا چَشم هایَش را می بَندَد و آرِزویِ پَرواز می کُنَد.

مانا دَست دَر دَستِ سِتاره دَر آسِمانِ شَب بالا می رَوَد.

مانا اَز آن بالا،

خانه ها را می بینَد،

کوچه ها را می بینَد،

خیابان های پیچ دَر پیچ را می بینَد.

مانا اَز خانه ها

وَ کوچه ها

وَ خیابان های پیچ دَر پیچ دور می شَوَد.

مانا دَست دَر دَستِ سِتاره دَر آسِمانِ شَب بالا می رَوَد.

زیرِ پایِ مانا رودخانه ی آبی رَوان اَست.

رودخانه، پُر اَز ماهی هایِ رَنگارَنگ اَست.

زیرِ پایِ مانا دَشتِ سَبز گُستَرده اَست.

دَشت، پُر اَز گُل هایِ رَنگارَنگ اَست.

مانا اَز دَشت وَ رودخانه دور می شَوَد.

آنجا، دَر اوجِ آسِمان، شَهرِ سِتاره ها پِیداست.

شَهرِ جادویی،

دَروازه هایَش را به رویِ مانا باز می کُنَد.

کَهکِشانی اَز نور پَدیدار می شَوَد.

بانویِ ماه می گویَد:

" به شَهرِ سِتاره ها، خوش آمَدی! "

بانویِ ماه رویِ تَختی اَز اَبرهایِ سِفید نِشَسته اَست.

بانویِ ماه رویِ مَخمَلِ شَب، دانه هایِ مُروارید می دوزَد.

مانا با شادی اَز این اَبر به آن اَبر می پَرَد.

مانا میانِ سُتون هایِ نور تاب می خورَد.

مانا سَوار بَر اَسبِ باد،

اَز این سو به آن سو می تازَد.

مانا با شَهاب ها،

تیر وَ کَمان بازی می کُنَد.

مانا زَمان را اَز یاد می بَرَد.

سِتاره دَر گوشِ مانا زِمزِمه می کُنَد:

" شَب دارَد به پایان می رِسَد.

خورشید دارَد اَز پُشتِ کوه ها بیرون می آیَد.

بایَد به زَمین بَرگَردیم."

مانا دَست دَر دَستِ سِتاره، به سویِ زَمین بَرمی گَردَد.

- اِی سِتاره ی زیبا،
باز هَم به دیدَنِ مَن بیا !
باز هَم مَن را با خودَت به آسِمان بِبَر !

- دیگر به مَن نیازی نَداری.
با نیرویِ خیالَت می تَوانی پَرواز کُنی.
هَر شَب که آسِمان، پُر اَز سِتاره هاست،
چَشم هایَت را بِبَند وَ آرِزویِ پَرواز کُن!

بانویِ ماه، دَروازه هایِ شَهر را به رویَت باز می کُنَد.

سِتاره به سویِ آسِمان پَرواز می کُنَد.

مانا به خواب می رَوَد وَ خواب هایِ شیرین می بینَد.

گیسویِ مانا دَر دِلِ شَب می دِرَخشَد.

گیسویِ مانا پُر اَز سِتاره هایِ تابان اَست.

واژه نامه

صفحه ی ۲	چَشم می دوزَد (چَشم دوختَن)	to look carefully
	جادویی	magical
صفحه ی ۶	نیاز نَداری (نیاز نَداشتَن)	to not need
صفحه ی ۸	پیچ دَر پیچ	winding
صفحه ی ۱۰	گُستَرده	widespread, extended
صفحه ی ۱۲	اوج	the peak, the highest point
	دَروازه	gate
	کَهکِشان	galaxy
	پَدیدار می شَوَد (پدیدار شُدَن)	to appear
	مَخمَل	velvet
صفحه ی ۱۴	می تازَد (تاختَن)	to gallop
	شَهاب	meteor
	اَز یاد می بَرَد (اَز یاد بُردَن)	to forget
صفحه ی ۱۶	زِمزِمه می کُنَد(زِمزِمه کَردَن)	to whisper
صفحه ی ۱۸	خیال	imagination
صفحه ی ۲۰	گیسو	long hair

بیوگرافی نویسنده:

نازنین میرصادقی فارغ التحصیل رشته علوم تغذیه از دانشگاه شهید بهشتی، و زبان و ادبیات اسپانیایی از دانشگاه آزاد تهران است. از سال ۱۹۹۴ به ترجمه شعر و رمان از زبان اسپانیایی و انگلیسی مشغول است و ترجمه های وی در ایران و امریکا به چاپ رسیده اند. میرصادقی تاکنون شش مجموعه شعر و دو رمان ترجمه کرده است. از جمله آنها می توان اشعار فدریکو گارسیا لورکا، پابلو نرودا، رافائل آلبرتی، لیسا لویتس و باربارا جیکوبس را نام برد. میرصادقی همچنین نویسنده چند داستان کودکان و چند کتاب کمک درسی و فراگیری دستورزبان فارسی است.
وی از سال ۱۹۹۶ مقیم نیویورک است. www.nazaninmirsadeghi.com

بیوگرافی تصویرگر:

رویا صادقی فارغ التحصیل رشته ریاضیات محض از دانشگاه الزهراست. از ۱۵ سالگی، فراگیری هنر نقاشی را به شکل جدی نزد استاد آیدین آغداشلو آغاز نمود. در اولین سال انتشار مجله بچه ها " گل آقا " به عنوان دبیر تصویریه با این نشریه همکاری داشته و پس از آن به مدت ۸ سال در مجلات "رشد" با عنوان کارشناس نقاشی، وظیفه آموزش نقاشی مکاتبه ای را به عهده داشته است. رویا صادقی به شکل مستمر فعالیت های گسترده خود را در زمینه تحقیق و تدریس "خلاقیت در هنر نقاشی برای کودکان" ادامه می دهد.
وی تاکنون چهار کتاب کودک را تصویرسازی نموده است.

کتاب های منتشر شده در مجموعه پیش دبستانی

Books Published in the Pre-school Series

Sea

آقا پایا و کاکایی

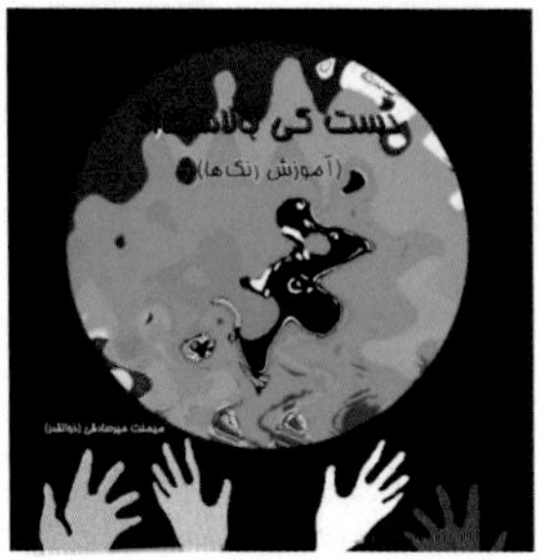

Colors

دست کی بالاست؟

Friendship with Animals

دوستی با حیوانات

Co-operation

کار همه، مال همه

Seasons

الشون و بلشون

Sky

ستاره های نیکی خانم

کتاب های منتشر شده در مجموعه نوآموز

Books Published in the Beginning Readers Series

Our Earth-Level 1

زمین ما

My New World- Level 2

دنیای تازه ی من

The Story of Bahar & Norooz-Level 2

قصه ی بهار و عید نوروز

کتاب های منتشر شده در مجموعه کمک درسی

Books Published in the Activity Books Series

Let's Learn Persian Words
Book 1

بیایید کلمه های فارسی بیاموزیم

کتاب اوّل

Let's Learn Persian Words
Book 2

بیایید کلمه های فارسی بیاموزیم

کتاب دوّم

Let's Learn Persian Verbs

بیایید فعل های فارسی بیاموزیم

کتاب های منتشر شده در مجموعه دنیای دانش

Books Published in the World of Knowledge Series

Why Should We Eat Fruits

چرا باید میوه بخوریم

سایر کتاب های منتشر شده در نشر بهار

Rubaiyat of Rumi

منتخب رباعیات جلال الدین محمد رومی

Couplets of Baba Taher

منتخب دو بیتی های بابا طاهر عریان

Rubaiyat of Omar Khayyam

منتخب رباعیات عمر خیام نیشابوری

برای آشنایی با سایر کتاب های "نشر بهار" از وب سایت این انتشارات دیدن فرمائید.

To learn more about the other publications of Bahar Books please visit the website.

Bahar Books

www.baharbooks.com